NORMAN BRIDWELL
Bertrand
fait le ménage de printemps

Texte français de Christiane Duchesne

 Les éditions Scholastic

Pour la prochaine génération :

Sophie, Michel, Beatrice et Raphael de Alison
Alexander et Emma Rose de Ashley
Caroline de Sam
Alissa de Emily
Natalie et Henry de Melissa

Données de catalogage avant publication (Canada)

Bridwell, Norman
   Bertrand fait le ménage de printemps

Traduction de : Clifford's spring cleanup.
ISBN 0-439-00460-8

I. Duchesne, Christiane, 1949-   . II. Titre.

PZ23.B75Be 1999   j813'.54   C98-932898-8

Titre original : Clifford's Spring Cleanup
ISBN 0-439-00460-8

Édition publiée par Les éditions Scholastic,
175, Hillmount Road, Markham (Ontario) L6C 1Z7.

5 4 3 2 1   Imprimé au Canada   9 / 9 0 1 2 3 4 /0

Je m'appelle Émilie et je vous souhaite bon printemps. Chez moi, c'est le temps de faire le grand ménage. L'année dernière, nous avons tous beaucoup travaillé, même Bertrand, mon gros chien rouge.

J'ai mis quelques tapis dehors.

Bertrand a voulu nous aider.

Il a sorti un tapis et l'a secoué bien fort.

Un peu trop, je crois.

Puisque le tapis était fichu, maman a dit que nous pouvions toujours cirer le plancher du salon.

Papa et maman ont commencé à sortir les meubles.

Quand Bertrand a vu le canapé, ses yeux se sont mis à briller.
C'est là qu'il dormait, roulé en boule, quand il était petit.

Crouch!
Il est trop grand maintenant!

Heureusement, le canapé était vieux.
De toute manière, papa voulait en acheter un nouveau.

Il y a beaucoup à faire au printemps.
Bertrand a lavé toutes les fenêtres...

... et les a fait sécher.

Maman n'était pas tout à fait satisfaite.

Nous avons tout lavé encore une fois.

Pauvre papa! Il passait le râteau dans la cour.
Cela allait bien lui prendre la journée!

Mais avec Bertrand, c'est toujours plus rapide!

À ce moment-là, mes amis sont arrivés.

Ils m'ont demandé de les aider à nettoyer le terrain vacant
au coin de la rue. C'était leur projet pour la journée de la Terre.

Bertrand a fait sa part, lui aussi.

Nous avons créé un magnifique jardin.

En rentrant à la maison, Bertrand et moi avons vu
d'autres personnes faire quelque chose pour la Journée de la Terre.

Bertrand leur a donné
un coup de... queue.

De retour à la maison, nous avions beaucoup à faire.
La niche de Bertrand avait besoin d'un bon ménage.

Il a jeté ses vieux os...

... et lancé dehors sa collection de vieux jouets en caoutchouc.

Cela faisait une jolie montagne!

Bertrand a tout de même
réussi à tout faire entrer
dans le camion à ordures...

... au grand étonnement du conducteur.

Voilà nos deux maisons propres comme un sou neuf.
Quelle bonne journée de travail!

À propos de la journée de la Terre...

Tous les 22 avril, nous rendons hommage
à la Terre.

C'est le jour où il faut penser à faire
quelque chose de spécial près de chez soi.

Nettoyer la cour ou le trottoir, planter
des fleurs, écrire un poème ou chanter
une chanson qui parle des merveilles, des
plantes et des animaux que la nature
nous offre.

On peut faire de chaque jour
une journée de la Terre.